NICK JR.

DORA L'EXPLORATRICE™

Dora et les pirates

adapté par Leslie Valdes
illustré par Dave Aikins

Paru sous le titre original de : *Dora's Pirate Adventure.*

Publié par Presses Aventure, une division de
Les Publications Modus Vivendi Inc.
55, rue Jean-Talon Ouest, 2e étage
Montréal (Québec)
Canada H2R 2W8

Dépôt légal : Bibliothèque et Archives nationales du Québec 2005
Dépôt légal : Bibliothèque et Archives Canada, 2005

Traduit de l'anglais par : Catherine Girard-Audet

ISBN 13 : 978-2-89543-282-1

Nous reconnaissons l'aide financière du gouvernement du Canada par l'entremise du Programme d'aide au développement de l'industrie de l'édition (PADIÉ) pour nos activités d'édition.

Gouvernement du Québec — Programme de crédit d'impôt pour l'édition de livres — Gestion SODEC

Imprimé en Chine

Salut les copains ! Je suis Dora. Veux-tu jouer dans notre pièce de théâtre sur les pirates ? Parfait ! Allons mettre nos costumes !

Oh-oh. Cela ressemble à des pirates. Vois-tu des pirates ? Les cochonnets pirates prennent notre coffre à costumes ! Ils pensent qu'il est rempli de trésors.

Si nous ne retrouvons pas nos costumes, nous ne pourrons pas nous déguiser en pirates. Et si nous ne pouvons pas nous déguiser en pirates, alors nous ne pourrons pas monter notre pièce de théâtre sur les pirates.

Nous pouvons récupérer nos costumes. Nous devons simplement savoir où aller. À qui devons-nous demander de l'aide lorsque nous ne savons pas quel chemin prendre ? À Carte !

Carte dit que les cochonnets pirates ont amené le coffre aux trésors sur l'Île aux Trésors. Nous devons naviguer sur les Sept Mers et passer sous le Pont Chantant, et voilà comment nous arriverons sur l'Île aux Trésors.

Vois-tu les Sept Mers ? Oui, les voilà ! Nous pouvons utiliser ce bateau pour y naviguer !

Fantastic! C'est maintenant le moment de naviguer sur les Sept Mers. Comptons les Sept Mers ensemble. *One, two, three, four, five, six, seven.*

Bon travail !

Nous devons maintenant trouver le Pont Chantant. Où est le pont ?

Hourra, le voilà ! *Let's go!*

Le Pont Chantant chante des chansons bêtes !
Il était un petit navire,
Il était un petit navire,
Qui n'avait ja,ja, jamais travaillé
Olé Olé

Nous devons lui apprendre les bonnes paroles.
Chantons la chanson de la bonne façon.

Il était un petit navire,

Il était un petit navire,

Qui n'avait ja, ja, jamais navigué,

Ohé, ohé...

Hourra ! Nous avons réussi à passer le Pont Chantant ! Le prochain arrêt est l'Île aux Trésors. Vois-tu l'Île aux Trésors ? Oui, la voilà !

Regarde ! Il y a une chute d'eau. Véra doit tourner la roue du gouvernail, sinon nous allons tomber dans la chute.

Oh-oh ! La roue du gouvernail est cassée ! Sac-à-dos a peut-être quelque chose qui puisse nous aider. Vite, dis « Sac-à-dos » !

Nous avons besoin de quelque chose pour réparer la roue du gouvernail. Vois-tu le ruban adhésif ?

Oui, le voilà ! *Very good!*

Tourne la roue du gouvernail, Véra !
Ouf ! Nous avons réussi à éviter la chute d'eau.
Allez ! Allons sur l'Île aux Trésors et retrouvons nos costumes !

Nous avons trouvé l'Île aux Trésors. Nous devons maintenant chercher le coffre aux trésors. Nous pouvons utiliser la longue-vue de Diego.

Le voilà ! Allez les copains, allons récupérer nos costumes !

Les cochonnets pirates disent qu'ils ne nous rendront pas notre trésor.

Nous avons besoin de ton aide. Lorsque je compterai jusqu'à trois, tu dois dire : « Rendez-nous nos trésors ! » Tu es prêt(e) ? Un, deux, trois : Rendez-nous nos trésors !

Ça fonctionne ! *Very good!* Les cochonnets pirates disent que nous pouvons récupérer notre coffre aux trésors !

Merci de nous avoir aidés à récupérer nos costumes. Nous pouvons maintenant monter notre pièce de théâtre sur les pirates. C'est gagné ! Hourra !